hamburger

helicopter

hat

hen

hippopotamus

horse

house

Here is a **h**ouse.

Here is a **h**en.

Here is a horse.

Here is a **helicopter**.

Here is a **h**amburger.

Here is a **h**ippopotamus
with a **h**at.

Ho, **h**o, **h**o!
I'm a **h**airy bear.
Come and catch me
if you dare!